W9-BZH-042

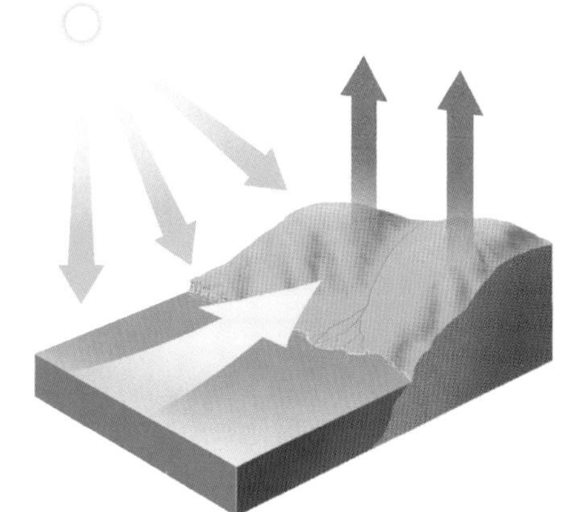

John Farndon

Adaptation française de Christophe Rosson

Gründ

Texte original : John Farndon
Conseiller : Peter Riley
Adaptation française : Christophe Rosson
Secrétariat d'édition : Luc-Édouard Gonot
Photocomposition : P.A.Oh ! – Dole

ISBN 2-7000-1041-8
Dépôt légal : janvier 2005
Imprimé en Chine

Loi n° 49-956 du 16 juillet 1949 sur les publications destinées à la jeunesse

Sommaire

Le climat 4

Les changements 6

L'atmosphère 8

Les nuages 10

Brouillard et brumes 12

La pluie 14

Les orages 16

Le Soleil 18

La sécheresse 20

Le froid 22

La neige 24

Le vent 26

Les tornades 28

Les ouragans 30

Prévoir le temps 32

Front météorologique 34

La pollution de l'air 36

Alertes climatiques 38

Index 40

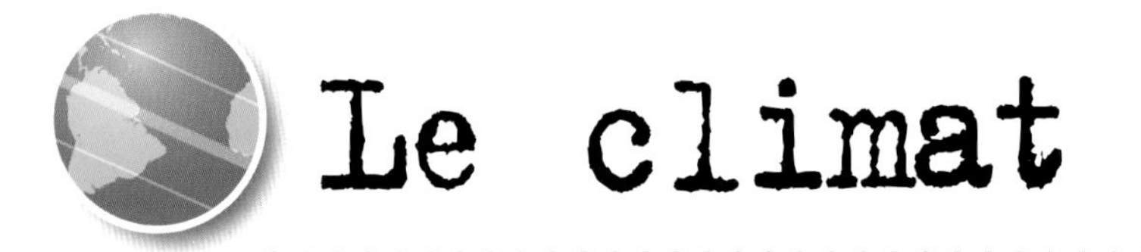

Le climat

◀ *Cette version simplifiée de l'atlas climatique nous montre quelques-unes des principales zones climatiques.*

Tempéré humide
Tropical
Désertique
Polaire
Tempéré continental
Mountain

- **Le climat est l'ensemble** des phénomènes météorologiques caractérisant l'atmosphère et son évolution.
- **Le climat est chaud** près de l'équateur, où le soleil monte haut dans le ciel.
- **Le climat chaud des zones tropicales** (de part et d'autre de l'équateur) offre des températures moyennes de 27 °C.
- **Aux pôles,** le climat est froid, le soleil restant bas sur l'horizon. Température moyenne : -30 °C.
- **Les climats tempérés** concernent les régions comprises entre les tropiques et les pôles. Moyenne estivale : 23 °C. Moyenne hivernale : 12 °C.
- **Le climat méditerranéen** (Méditerranée, Californie, Afrique du Sud, Sud de l'Australie), tempéré, connaît des étés chauds et des hivers doux.

▶ *Les variations saisonnières de température sont dues au mouvement de la Terre autour du Soleil. Les pôles sont trop éloignés de l'équateur pour que le soleil passe à leur verticale, ou pour connaître de grandes variations saisonnières de température.*

▶ *Quand les régions méditerranéennes sont au plus près du soleil (solstice de juin), il fait très chaud et très sec. Quand elles s'en éloignent (du fait du mouvement terrestre autour du Soleil), c'est l'hiver.*

▶ *Près de l'équateur, les variations saisonnières de température sont faibles (plus on s'en éloigne, plus les saisons sont marquées). Le soleil se trouve exactement dans le plan de l'équateur en mars et septembre, et dans ceux des tropiques (Cancer et Capricorne) en juin et décembre.*

- **Manifestation typique du climat** de l'Inde et de l'Asie du Sud-Est, la mousson connaît une saison très humide et une très sèche.
- **Près de l'océan,** le climat, humide, est dit océanique : été plus frais, hiver plus chaud.
- **À l'intérieur des continents,** le climat continental est sec, l'été y est chaud, l'hiver froid.
- **En montagne,** les températures descendent avec l'altitude (et les vents se renforcent).

Les changements

▲ *Les cernes d'un arbre permettent de définir le passé climatique. Périodes humides : cernes épais. Périodes sèches : cernes minces.*

- **À l'échelle mondiale,** le climat change sans cesse – réchauffement, refroidissement. Différentes théories expliquent cela.
- **Pour connaître les changements climatiques** antérieurs aux relevés scientifiques, on étudie les cernes des vieux arbres et des échantillons de glace prélevés à grande profondeur (Antarctique, Groenland).
- **On peut aussi étudier les sédiments** de plantes ou d'animaux ne vivant que dans certaines conditions.

- **Les changements climatiques** peuvent s'expliquer par les variations de l'orientation de la Terre par rapport au Soleil (cycles de Milankovitch).
- **L'un de ces cycles** désigne la façon dont l'axe de la Terre décrit un mouvement conique en 21 000 ans ; un autre, sa façon de s'incliner tous les 40 000 ans. Un troisième désigne la façon dont l'orbite terrestre se fait plus ou moins ovale, tous les 96 000 ans.
- **Le climat est aussi sensible** aux taches solaires – dont l'activité connaît une pointe tous les 11 ans.
- **Les orages terrestres** peuvent liés à l'activité des taches solaires.
- **À l'échelle de la planète,** le climat peut se refroidir très brutalement suite à des événements cataclysmiques : impact d'une météorite d'au moins 1 km de diamètre, éruptions volcaniques en chaîne.
- **Le climat se réchauffe** quand augmente la concentration de certains gaz dans l'air.
- **La dérive des continents** modifie l'impact du climat. Autrefois, l'Antarctique se situait aux tropiques, et New York connaissait un climat de désert tropical.

▲ *Les taches qui apparaissent à la surface du Soleil peuvent annoncer des orages sur Terre.*

L'atmosphère

- **Énorme enveloppe de gaz** (1 000 km de haut) entourant la Terre, l'atmosphère se subdivise en cinq régions : troposphère (la plus basse), stratosphère, mésosphère, thermosphère et exosphère.
- **Composition de l'atmosphère :** azote (78 %), oxygène (21 %), argon et dioxyde de carbone (1 %), traces de néon, de krypton, de xénon, d'hélium, d'oxyde d'azote, de méthane et d'oxyde de carbone.
- **Fruit des éruptions volcaniques** qui étaient très importantes durant la jeunesse de la Terre, il y a 4 milliards d'années, l'atmosphère s'est modifiée depuis que les roches, les eaux et les plantes absorbent le dioxyde de carbone, et que les algues marines ont accru les niveaux d'oxygène au fil du temps.
- **Mesurant à peine 12 km de haut,** la troposphère contient 75 % de la masse gazeuse de l'atmosphère. La température moyenne passe de 18°C au sol à environ -60°C au sommet (tropopause).
- **La stratosphère** renferme peu d'eau. Contrairement à la troposphère (chauffée par le bas), la température de la stratosphère croît avec l'altitude, l'ozone étant réchauffé par les rayons UV du Soleil. Les températures grimpent de -60°C à 10°C dans la partie supérieure de cette couche de 50 km de haut.
- **Très calme,** la stratosphère est pratiquement dépourvue de nuages.
- **Pauvre en gaz,** la mésosphère est cependant assez épaisse pour ralentir les météores, qui brûlent à son contact, laissant des traînées de feu dans le ciel nocturne. Les températures passent de 10°C à -120°C à 80 km.

LE SAVIEZ-VOUS ?

La nuit, le sodium des embruns entrant en réaction chimique avec l'air fait scintiller la stratosphère.

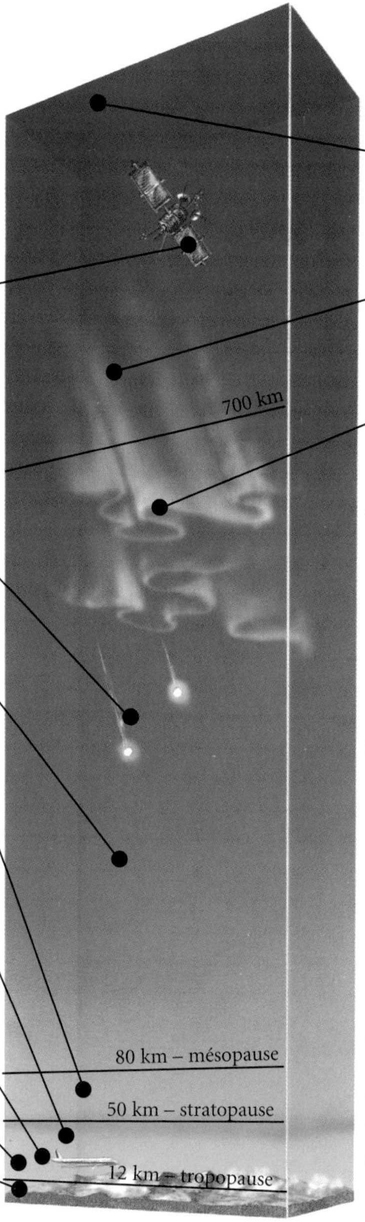

Satellites à orbite basse traversant les couches externes de l'atmosphère.

L'atmosphère nous protège des météores et des rayonnements.

Thermosphère.

Mésosphère.

La stratosphère contient la couche d'ozone qui nous protège des rayons solaires UV.

Dans la stratosphère, l'atmosphère est très stable.

Stratosphère.

Nous vivons dans la troposphère.

700 km

80 km – mésopause

50 km – stratopause

12 km – tropopause

À très haute altitude, les gaz légers (hydrogène, hélium, etc.) ne sont plus retenues et disparaissent dans l'espace.

Exosphère.

De magnifiques voiles lumineux, appelés aurores, apparaissent au-dessus des pôles. Ils résultent de la collision des particules solaires avec les couches supérieures de l'atmosphère.

- **Les températures** de la thermosphère sont très élevées (passant de -120 °C à 2 000°C à 700 km), mais la quasi-absence de gaz entraîne la quasi-absence de sensation de chaleur.
- **L'exosphère,** couche la plus élevée de l'atmosphère, se fond avec le vide de l'espace.

◀ *Enveloppe gazeuse sans couleur, ni goût ni odeur, l'atmosphère contient aussi de l'eau et de fines particules de poussière. Sans frontières définies, elle mesure environ 1 000 km de haut et se fond dans l'espace. Plus on s'élève dans le ciel, moins les couches contiennent de gaz. L'air des couches supérieures est très raréfié.*

Les nuages

. . . LE SAVIEZ-VOUS ? . . .
Le cumulo-nimbus est le plus grand nuage (plus de 10 km de hauteur).

▲ *Le cirrus peut atteindre des altitudes de 10 000 m ou plus.*

- **Un nuage** est une masse dense de gouttes d'eau et de cristaux de glace suffisamment petits pour flotter en altitude.
- **Nuages blancs floconneux,** les cumulus s'amoncellent quand l'air chaud monte, puis refroidissent jusqu'au point de condensation de la vapeur.
- **Les énormes cumulo-nimbus** sont le fruit de puissants courants d'air ascendants.

▶ *Les cumulus s'amoncellent en tas floconneux quand l'air chaud et humide monte. À 2 000 m environ, l'air est assez froid pour que des nuages se forment.*

- **Vastes nuages** difformes (annonçant souvent de longues périodes de pluie fine), les stratus se forment quand une couche d'air atteint le point de condensation de l'humidité.
- **Les légers cirrus** se forment à une telle altitude qu'ils ne sont faits que de glace. Les vents puissants les étirent.
- **Un nuage bas** (stratus et strato-cumulus) flotte à moins de 2 000 m du sol.
- **Un nuage d'altitude moyenne** (altocumulus, altostratus, et autres « alto- ») se situe à une altitude comprise entre 2 000 et 6 000 m.
- **Au-delà de 11 000 m d'altitude,** les nuages ne sont plus faits que de glace (cirrus, cirrostratus et cirrocumulus).
- **À haute altitude,** les avions laissent dans leur sillage des traînées de condensation.

Brouillard et brumes

... LE SAVIEZ-VOUS ? ...
Smog : brouillard épaissi
par la pollution atmosphérique.

▲ *Brouillard s'élevant lentement au-dessus de la surface des eaux du Gange (Inde).*

- **Une brume** contient (comme un nuage) des milliards de gouttelettes d'eau, dans l'air. Le brouillard, lui, se forme près du sol.
- **La brume** se forme quand l'air atteint le point où la vapeur se condense en eau.
- **Définition scientifique** du brouillard : brume à proximité du sol limitant la visibilité à moins d'1 km.
- **Les quatre grands types** de brouillard : brouillard de radiation, d'advection, d'évaporation et des flancs de montagne.
- **Le brouillard de radiation** se forme par une nuit froide, claire et calme. Perdant la chaleur accumulée de jour, le sol rafraîchit l'air.

▲ *Le feuillage d'une forêt produit une humidité énorme qui se condense dans la fraîcheur nocturne pour former un épais brouillard le matin.*

- **Le brouillard d'advection** se forme quand un air chaud et humide passe sur une surface froide. Refroidissement qui condense l'humidité.
- **Le brouillard maritime** (d'advection) naît du passage d'un air chaud sur les eaux froides d'un lac ou d'un littoral.
- **Le brouillard d'évaporation** se forme quand l'air froid circule sur une surface chaude et humide.

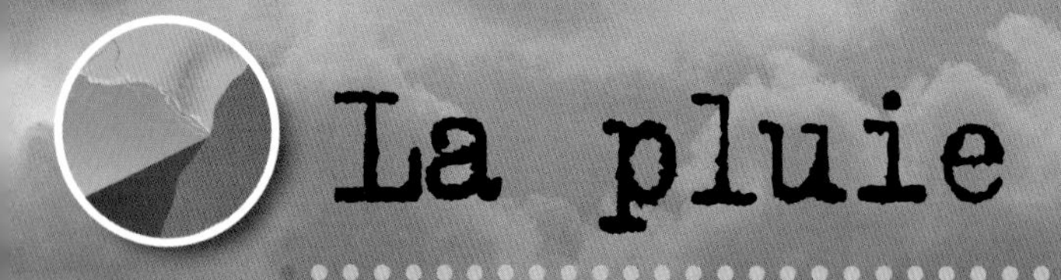

La pluie

▲ *Quand un air humide s'élève à une altitude trop élevée, il pleut. Les gouttes d'eau et cristaux de glace qu'il renferme deviennent si gros que le nuage s'assombrit.*

- **Les pluies** proviennent de nuages remplis de grosses gouttes d'eau ou de gros cristaux de glace. Les nuages épais peuvent obscurcir le ciel.
- « **Précipitations** » est un terme technique qui désigne la pluie, la neige, la neige fondue et la grêle.
- **Une goutte de bruine** mesure 0,2 à 0,5 mm de diamètre ; elle provient d'un nimbo-stratus, nuages donnant des gouttes de pluie de 1 à 2 mm. Celles d'un nuage orageux peuvent atteindre les 5 mm. La neige est faite de cristaux de glace.

- **Les pluies** se déversent quand les gouttes d'eau ou les cristaux de glace contenus dans les nuages sont plus lourds que l'air.
- **Quand un air humide** s'élève, il se refroidit : les gouttes d'eau se condensent, il pleut.
- **Aux tropiques,** les gouttes de pluie forment des nuages en s'entrechoquant. Dans les zones froides, elles forment des cristaux de glace.
- **Au mont** Wai-'ale-'ale (Hawaii), il pleut 350 jours par an.
- **Tutunendo** (Colombie) est la ville la plus humide du globe : 11 700 mm de pluie par an.
- **En 1952,** la Réunion a reçu 1 870 mm de précipitations en un jour.
- **En 1970,** la Guadeloupe a enregistré 38,1 mm de précipitations en une seule minute.

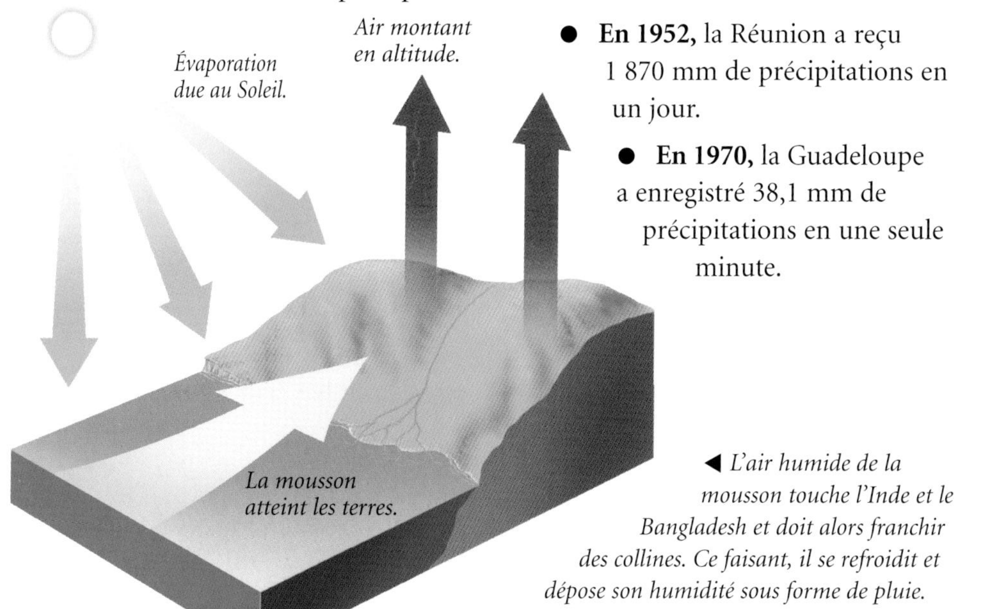

◀ *L'air humide de la mousson touche l'Inde et le Bangladesh et doit alors franchir des collines. Ce faisant, il se refroidit et dépose son humidité sous forme de pluie.*

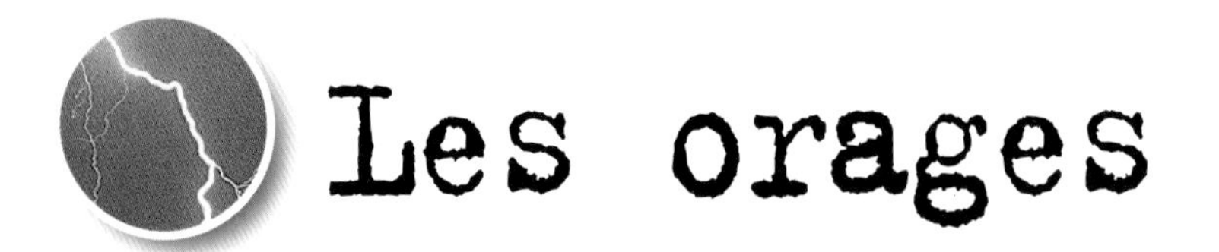

Les orages

▲ *Les gigantesques cumulo-nimbus peuvent s'élever jusqu'à l'altitude de 16 km.*

- **Il y a orage** quand des mouvements d'air verticaux très violents créent d'immenses cumulo-nimbus.
- **Les gouttes d'eau** et cristaux de glace des nuages d'orage se mélangent par agitation et créent de l'électricité statique.
- **Les charges négatives** occupent la base du nuage ; les positives s'élèvent. De leur rencontre naissent les éclairs.
- **Un éclair** en nappe se produit à l'intérieur d'un nuage. Ceux en zigzags vont du nuage au sol.

- **Un éclair en zigzag** commence par un premier éclair (nuage-sol), très vite suivi d'un éclair en retour, plus puissant et plus lent.
- **Le tonnerre** est le bruit de l'onde de choc créée par la dilatation de l'air chauffé instantanément à 25 000 °C par la foudre.
- **Le son** étant plus lent que la lumière, on entend le tonnerre après l'éclair (3 secondes par km nous séparant de lui).
- **Il y a en permanence** 2 000 orages sur Terre, chacun générant l'énergie d'une bombe à hydrogène.
- **Un éclair** produit plus de lumière que 10 millions d'ampoules de 100 W. bien que fort bref, il est plus puissant que toutes les centrales électriques des États-Unis. Il peut atteindre les 100 000 km/s sur un sillon d'une longueur maximale de 14 km pour un peu plus d'1 cm de large. Les éclairs en nappe peuvent mesurer 140 km de long.
- **Un éclair** peut faire fondre le sable sous la terre et créer ainsi des fulgurites.

▲ *Dans le Nevada (États-Unis), les éclairs sont particulièrement spectaculaires. L'énergie emmagasinée par les nuages dans la chaleur torride de l'après-midi se déploie la nuit.*

Le soleil

▲ *Sans le Soleil, la Terre serait froide, sombre et morte.*

- **Une moitié de la Terre** fait en permanence face au Soleil, dont les rayons sont la principale source d'énergie. Ils fournissent d'immenses quantités de chaleur et de lumière indispensables à la vie sur Terre.
- « **Solaire** » est l'adjectif dérivé de « soleil ».
- **Environ 41 %** du rayonnement solaire sont lumineux ; 51 % sont des rayons de grandes longueurs d'onde (jusqu'à l'infrarouge), que l'homme ne peut percevoir. Les 8 % restants sont des rayons de petites longueurs d'onde (à partir de l'ultraviolet), eux aussi invisibles.
- **Seuls 47 %** du rayonnement solaire touchant la Terre atteignent le sol : le reste est absorbé ou réfléchi par l'atmosphère.

- **Ce n'est pas tant la chaleur** directe du Soleil qui réchauffe l'air que celle que renvoie le sol.
- **On appelle « ensoleillement »** le temps pendant lequel un lieu est ensoleillé.
- **La quantité** de chaleur solaire atteignant le sol est fonction de l'angle d'attaque des rayons. Plus le Soleil est bas, plus les rayons sont étirés, moins ils sont chauds.
- **La Terre** reçoit le maximum de chaleur solaire aux tropiques et durant l'été.
- **Les tropiques** reçoivent presque deux fois et demi plus de chaleur par jour que l'un des deux pôles.
- **Certaines surfaces** réfléchissent mieux la lumière et donc la chaleur solaire (le pourcentage de réflexion est l'albédo). Neige et glace : 95 % d'albédo (elles restent gelées tout en chauffant l'air). Forêt : 12 % d'albédo (elles absorbent en grande partie la chaleur).

◀ *Le Soleil peut générer de l'électricité. Quand il alimente une pile solaire, un courant électrique passe d'un côté à l'autre de celle-ci.*

La sécheresse

▲ *En cas de sécheresse, c'est toute la nature qui souffre : récoltes, plantes et animaux.*

- **Sécheresse :** longue période où les précipitations sont trop peu importantes.
- **La sécheresse** dessèche le sol, les nappes phréatiques et les cours d'eau : les plantes meurent.
- **La sécheresse** est permanente dans le désert. Certains endroits des tropiques ont aussi de longues saisons sèches.
- **La sécheresse** s'accompagne souvent de températures élevées qui favorisent l'évaporation.
- **De 1931 à 1938,** la sécheresse réduisit les Grandes Plaines des États-Unis à un désert de poussière.
- **La désertification** désigne le passage progressif des prairies à des conditions désertiques (dû au changement climatique ou à l'activité humaine).
- **Au Sahel** (sud du Sahara), combinée à un accroissement des populations et cheptels, la sécheresse entraîne une vaste désertification.

- **La sécheresse** provoque de fréquentes famines au Sahel (Soudan, Éthiopie, etc.).
- **El Niño,** inversion périodique (tous les 2 à 7 ans) des courants océaniques au large du Pérou, contribue à la sécheresse que connaît le Sahel.
- **La grande sécheresse** (1276-1299) détruisit les cités des anciennes civilisations indiennes du Sud-Ouest américain. Cités que fuirent leurs occupants.

▲ *Sous l'effet de la sécheresse, les sols se craquellent. Ils sont si secs et si durs qu'ils ne peuvent plus absorber l'eau de pluie.*

Le froid

▲ *Quand il fait très froid, la neige demeure légère et poudreuse : le vent peut la balayer à loisir.*

- **L'hiver,** il fait froid, car les jours sont trop courts pour emmagasiner de la chaleur. Les rayons solaires sont trop inclinés, la chaleur se perd.
- **C'est aux pôles** qu'il fait le plus froid sur Terre. Les rayons solaires y sont toujours inclinés, et les nuits d'hiver durent presque 24 heures.
- **Température** moyenne à Polus Nedostupnosti (Pôle du froid, en Antarctique) : -58 °C.
- **Record de température** enregistrée : -89,2 °C, le 21 juillet 1983 à Vostok (Antarctique).

- **Les continents** se refroidissent beaucoup en hiver, car ils perdent vite leur chaleur.
- **Quand la température de l'air** passe sous les 0 °C, la vapeur gèle sans devenir rosée. Elle recouvre le sol de cristaux de glace ou de gel.
- **L'adjectif « cryogène »** désigne ce qui produit du froid.
- **La gelée blanche** résulte du passage d'un air humide sur une surface très froide qui le fait geler.
- **Si les gouttes d'eau** d'un nuage ou d'un brouillard restent liquides bien en dessous de 0 °C, elles gèlent au contact d'une surface froide : c'est le givre.
- **Le verglas** se forme quand il pleut sur une route très froide.

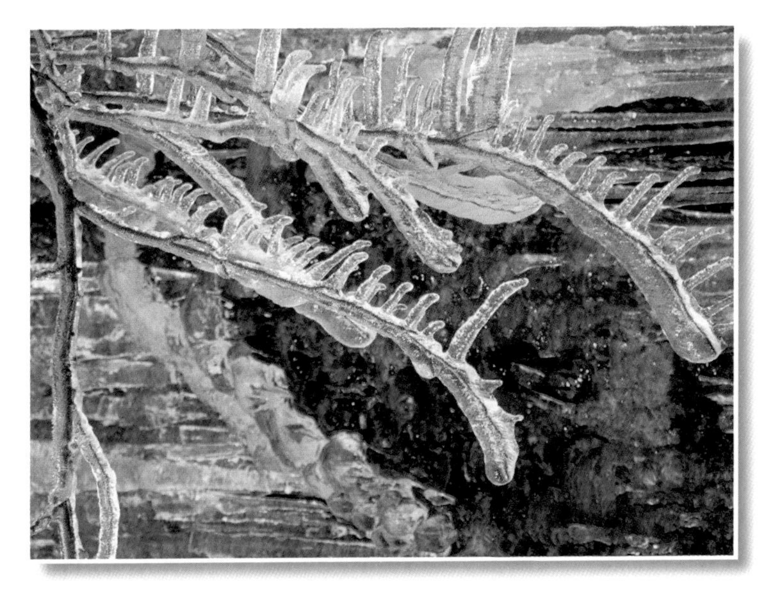

▶ *Le givre se forme à des températures inférieures à 0 °C, quand la vapeur d'eau gèle au contact d'une surface ou d'un corps solide.*

La neige

- **La neige** est faite de cristaux de glace. Il neige quand l'air est trop froid pour qu'ils fondent en pluie.
- **La pluie** commence souvent par tomber en une neige qui fond durant sa chute.
- **Il neige** moins au pôle Nord qu'aux États-Unis, car il y fait trop froid.
- **Les chutes de neige** sont les plus importantes lorsque la température de l'air flirte avec les 0 °C.
- **Une chute de neige** est difficile à prévoir, car une élévation de température de seulement 1 °C peut la changer en pluie.
- **Tout flocon de neige** a six côtés. Ils consistent le plus souvent en cristaux plats, mais on trouve aussi parfois des aiguilles et des colonnes.

▲ *La neige fraîche peut contenir jusqu'à 90 % d'air ; elle isole ainsi ce qu'elle recouvre, et protège les plantes en les tenant au chaud.*

- **W.A. Bentley,** agriculteur américain, a photographié des milliers de flocons de neige au microscope sans jamais en trouver deux identiques.
- **En février 1959,** 4 800 mm de neige se déposèrent au sommet du mont Shasta (Californie, États-Unis).
- **Mars 1911 :** la ville de Tamarac (Californie, États-Unis) se retrouve enfouie sous 11 460 mm de neige. L'Antarctique est par endroit recouvert de 2 000 m de glace.
- **La limite des neiges éternelles** est le niveau le plus bas auquel la neige tient même en été (5 000 m aux tropiques, 2 700 dans les Alpes, 600 au Groenland, niveau de la mer aux pôles).

▶ *Comme elle renvoie une très grande partie de la lumière du soleil, la neige met souvent du temps à fondre, au sol.*

Le vent

- **Le vent** est un déplacement d'air dans l'atmosphère. Déplacement rapide, vent fort ; déplacement lent, vent doux.
- **L'air se déplace**, car le Soleil réchauffe de manière plus importante certains endroits que d'autres, et crée des différences de pression atmosphérique.
- **La chaleur** fait monter et se dilater l'air, ce qui abaisse la pression atmosphérique. Le froid provoque l'effet inverse.
- **Les vents** soufflent depuis des zones de hautes pressions vers des zones de basses pressions.
- **Plus la différence est grande,** plus le vent souffle fort.

▼ *Ces éoliennes produisent de l'électricité grâce à la puissance du vent.*

- **Les vents** de l'hémisphère nord quittent les hautes pressions par des mouvements de spirale, dans le sens des aiguilles d'une montre, qui s'inversent à l'approche des basses pressions.
- **Un vent** est dit dominant lorsqu'il souffle fréquemment depuis la même direction. Direction dont il tire son nom (vent d'ouest, etc.).
- **Sous les tropiques,** les vents dominants sont chauds et secs. Ils soufflent du nord-est et du sud-est vers l'équateur.
- **Sous les latitudes moyennes,** les vents dominants sont chauds et humides ; ils soufflent de l'ouest.

▲ *Plus l'air est chargé d'énergie solaire, plus il y a de vent (aussi les vents les plus forts soufflent-ils sous les tropiques).*

... LE SAVIEZ-VOUS ? ...

Les vents soufflent souvent à 320 km/h à George V (Antarctique). Record mondial.

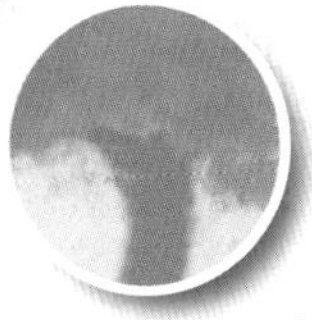

Les tornades

- **Une tornade** est un long conduit de vents violents tourbillonnant sous un nuage d'orage.
- **En quelques minutes** à peine, elles peuvent causer d'importants dégâts.
- **Difficiles à mesurer,** on estime que les vents intérieurs dépassent les 400 km/h.
- **Elles naissent** sous d'énormes nuages d'orage (supercellule) qui se développent le long de fronts froids.
- **La Grande-Bretagne** subit plus de tornades (modérées) au km² que n'importe quel pays.
- **Aux États-Unis,** la région de Tornado Alley voit le passage de 1 000 tornades par an, dont certaines surpuissantes.

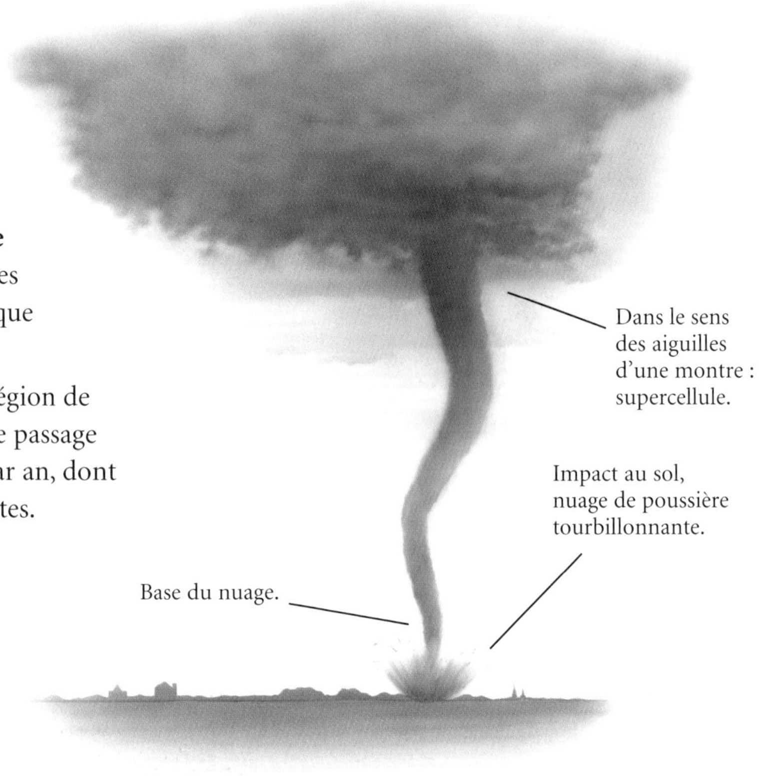

Dans le sens des aiguilles d'une montre : supercellule.

Impact au sol, nuage de poussière tourbillonnante.

Base du nuage.

▶ *Particulièrement destructrices au cœur des États-Unis, les tornades peuvent naître partout où il y a un orage.*

▶ *Une tornade naît au cœur d'un nuage d'orage, où une colonne d'air chaud est mise en mouvement giratoire par les vents puissants qui traversent le sommet du nuage. Quand l'air est aspiré dans cette colonne, il descend jusqu'au sol en spirale.*

- **Il y a 6 niveaux** sur l'échelle de Fujita, qui mesure la force des tornades (de F0 à F6).
- **Une tornade F5** peut arracher une maison et charrier un bus sur des centaines de mètres.
- **1990, Kansas :** une tornade soulève un train transportant 88 voitures. Il retombera pour former un tas d'une hauteur de 4 voitures.

LE SAVIEZ-VOUS ?

1879, Kansas : une tornade détruit un pont métallique et aspire l'eau de la rivière.

Les ouragans

- **Un ouragan** (ou cyclone, typhon) est une tempête tropicale violente.
- **Ils naissent à la fin de l'été,** quand des groupes d'orages se massent au-dessus de mers chaudes (27 °C au moins).
- **En grandissant,** l'ouragan se resserre en une spirale au milieu de laquelle se trouve l'« œil », une zone calme de basses pressions.
- **Ils se déplacent** vers l'ouest à environ 20 km/h et frappent les côtes Est avec des pluies diluviennes et des vents pouvant atteindre 360 km/h.
- **Officiellement,** un ouragan est une tempête très violente dont les vents dépassent les 120 km/h.
- **Ils durent en moyenne** de 3 à 14 jours et meurent à l'approche des pôles (air plus froid).
- **Chaque année,** pour chaque ouragan, on choisit un nom (d'après la liste de la World Meteorological Organization) dont l'initiale indique la période de l'année. Par exemple, « Andrew » pour le premier ouragan.

▶ *Image satellite d'un ouragan approchant de la Floride (États-Unis). Au centre, en jaune, l'œil.*

▲ *Les vents en spirale d'un ouragan peuvent causer des dégâts sur de vastes zones : leur diamètre peut mesurer 800 km.*

- **Le cyclone** le plus destructeur de tous les temps frappa le Bangladesh en 1970. 266 000 personnes périrent dans les inondations engendrées par la rapide montée des eaux de l'océan, poussées par les vents.
- **À chaque seconde,** un ouragan génère autant d'énergie qu'une petite bombe à hydrogène.
- **Tous les ans,** 35 tempêtes tropicales passent au stade d'ouragan dans l'Atlantique ; 85 de par le monde.

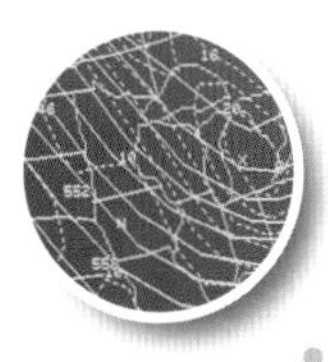

Prévoir le temps

- **Les prévisions** se fondent en partie sur les analyses de l'atmosphère terrestre réalisées par de puissants ordinateurs.
- **On peut diviser** l'air en parcelles réunies en colonnes au-dessus d'une grille de points répartis sur la mappemonde.
- **On recense** plus d'1 million de points, chacun surmonté d'au moins 30 parcelles.

▲ *Les météorologues se servent des données de supercalculateurs pour prévoir le temps 24 heures ou plusieurs jours à l'avance.*

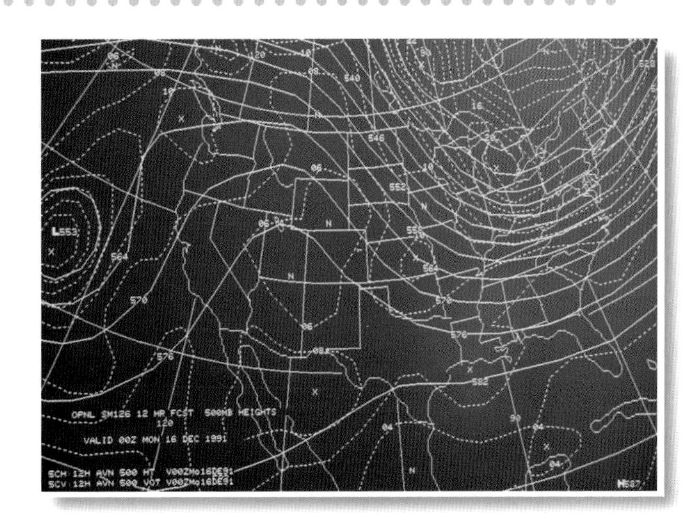

▶ *Carte météo : lignes isobares – de pression atmosphérique égale – au-dessus de l'Amérique du Nord. Elle est le fruit de millions d'observations.*

- **Chaque jour,** à intervalles réguliers, les observatoires effectuent des millions de relevés simultanés des conditions météo.
- **Toutes les 3 heures,** 10 000 stations météo enregistrent les conditions au sol. Toutes les 12 heures, des ballons équipés de radiosondes s'élèvent dans l'atmosphère pour en faire de même en altitude.
- **Les satellites** fournissent une vue d'ensemble de l'évolution globale du temps.
- **Les images infrarouges** indiquent la température à la surface de la Terre.
- **La course des nuages** permet de connaître la vitesse et la direction de certains vents.
- **Des supercalculateurs** permettent de prévoir le temps à 3 jours avec précision, et de l'estimer dans ses grandes lignes à 14 jours.
- **L'astrophysicien** Piers Corbyn a inventé un système de prévision météo fondé sur l'activité du Soleil.

Front météorologique

- **Front :** point de rencontre d'une grande masse d'air chaud et d'une grande masse d'air froid.
- **Front chaud :** la masse d'air chaud se déplace plus vite que l'air froid. Il s'élève lentement au-dessus du froid, en biais, pour atteindre 1,5 km d'altitude sur 300 km.
- **Front froid :** la masse d'air froid est plus rapide. Elle coupe l'air chaud, le forçant à s'élever brusquement, ce qui crée un front très pentu (qui s'élève à 1,5 km sur environ 100 km).
- **Sous des latitudes moyennes,** les fronts sont liés aux dépressions – situées dans une zone de basses pressions où l'air chaud et humide s'élève, les vents s'y engouffrent en spirale (hémisphère sud : dans le sens des aiguilles d'une montre ; hémisphère nord : sens inverse).
- **Les dépressions** naissent au niveau du front polaire, où l'air froid venant des pôles rencontre l'air chaud et humide qui remonte des zones subtropicales.
- **Elles font** un nœud dans le front polaire, puis enflent tandis que les vents puissants d'altitude les poussent vers l'est, donnant pluies, neige et rafales de vent. Une masse d'air chaud s'incruste au cœur de la dépression, au bord de laquelle le mauvais temps s'installe. D'un côté le front chaud, de l'autre le front froid.
- **Le front chaud** arrive le premier (annoncé par des cirrus de glace à haute altitude). Sur son passage, le ciel s'emplit de nimbo-stratus gris qui donnent une pluie régulière. Ensuite le temps se radoucit, le ciel s'éclaircit brièvement.

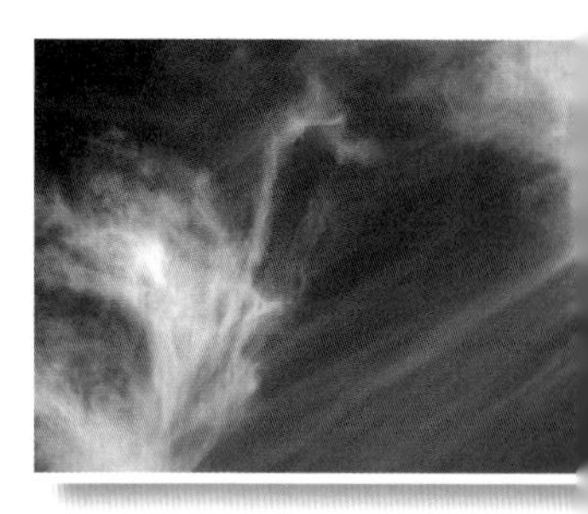

▲ *Les cirrus en altitude annoncent en général l'arrivée d'un front chaud et de pluies régulières. Les fronts chauds sont souvent suivis de fronts froids : fortes précipitations, vents violents, voire orages.*

- **Au bout de quelques heures,** nuages d'orage et rafales de vent annoncent l'arrivée du front froid. Quand il est en place, les nuages donnent de brèves mais intenses averses, parfois des orages, voire des tornades.
- **Dans le sillage** d'un front froid, l'air fraîchit, le ciel se dégage. Ne restent plus que quelques cumulus.
- **Les météorologues** pensent que les dépressions sont liées aux jet-streams (courants rapides dans les couches élevées de la troposphère, au-dessus des zones subtropicales).

▼ *Ci-dessous : interactions entre fronts chaud et froid et dépressions à altitude moyenne.*

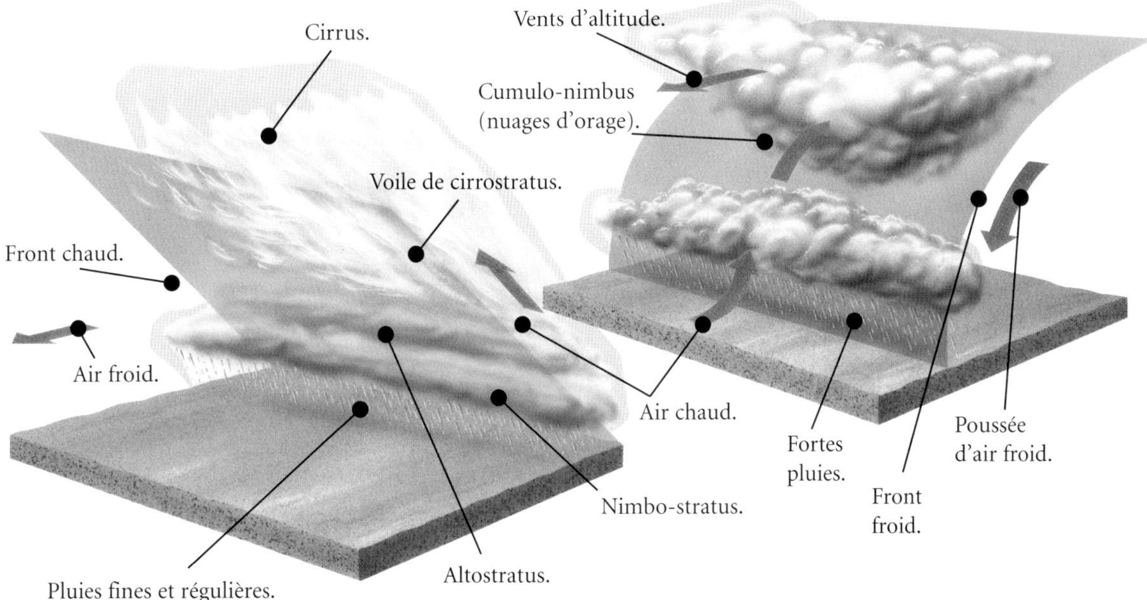

La pollution de l'air

▲ *Fumées d'usine polluant l'atmosphère.*

- **Principaux facteurs :** gaz d'échappements, fumées d'usines, centrales électriques, consommation domestique de pétrole, charbon et gaz.
- **Autres facteurs :** pulvérisations agricoles, animaux de ferme, exploitation minière, éruptions volcaniques.
- **Cendre, suie, etc.** sont des polluants solides, mais les plus nombreux sont des gaz.
- **La pollution atmosphérique** ne connaît pas de frontières : on a trouvé des traces de pesticides en Antarctique, où on n'en utilise jamais.
- **La plupart des carburants** sont des hydrocarbures qui, avant combustion, peuvent entrer en réaction avec la lumière et créer de l'ozone.

▶ *L'augmentation de l'utilisation de la voiture accroît le problème de la pollution atmosphérique, surtout dans les grandes villes.*

LE SAVIEZ-VOUS ?
À Benxi (Chine), les usines rejettent tant de fumées qu'elles dissimulent la ville aux satellites.

- **Gaz d'échappement** + fort ensoleillement = ozone et smog photochimique.
- **La pollution atmosphérique** est sans doute une des causes principales du réchauffement de la planète.
- **Elle pourrait** même détruire la couche d'ozone de l'atmosphère terrestre.
- **On estime** que respirer l'air de Mexico est aussi nocif que de fumer 40 cigarettes par jour.

Alertes climatiques

▲ *Paysage méditerranéen après le réchauffement de la planète ?*

- **Au XXe,** le réchauffement planétaire s'est traduit par une augmentation de 0,3 à 0,8 °C de la température mondiale.
- **La plupart des scientifiques** s'accordent à reconnaître le rôle de l'homme, notamment dans l'accroissement de l'effet de serre (pourtant naturel sur Terre).
- **Effet de serre :** façon qu'ont certains gaz, dont le dioxyde de carbone, de retenir dans l'atmosphère une partie de la chaleur solaire, comme le vitrage d'une serre.

▶ *Le dioxyde de carbone (combustion du charbon et du pétrole) rejeté dans l'atmosphère entraîne l'effet de serre.*

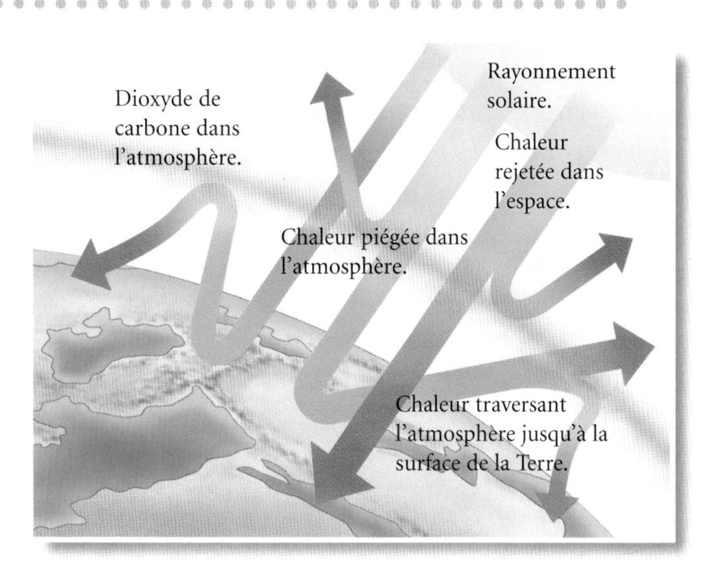

- **Si l'effet de serre** devait s'accroître, la température sur Terre pourrait devenir intenable.
- **Certains experts** prévoient une hausse des températures de 4 °C au cours des cent prochaines années.
- **L'homme augmente** l'effet de serre quand il brûle des combustibles fossiles (charbon, pétrole et gaz naturel) producteurs de dioxyde de carbone.
- **Le bétail mondial** rejette du méthane (gaz à effet de serre) et contribue au réchauffement de la planète.
- **Ce réchauffement** entraîne une multiplication des orages de par l'accumulation d'énergie dans l'atmosphère.
- **La fonte des calottes** polaires pourrait noyer certaines îles et des pays pourraient se voir menacés par la montée des eaux, tel le Bangladesh.

LE SAVIEZ-VOUS ?
De récentes observations annoncent des conséquences plus graves que prévu.

Index

Air
Atmosphère 9
Brouillard 12
Changements climatiques 7
Froid 23
Front météo 34, 35, 35
Humidité 12, *13*
Neige 24, *24*
Nuages 10, 11
Orages 17
Pluie *14*, 15, *15*
Prévoir le temps 32
Réchauffement de la planète 38
Tornades 29
Vent 26
Altocumulus 11
Altostratus 11, *35*
Atmosphère **8-9**, 9
Soleil 18
Pollution atmosphérique 37
Poussière 7
Prévoir le temps 32, 33
Réchauffement de la planète 39, *39*

Ballons météorologiques 33
Basse pression atmosphérique 26
Brouillard **12-13**, *23*
Brouillard de mer 13
Bruine 14
Brume **12-13**, *13*

Calotte glaciaire, Réchauffement de la planète 39
Cirrostratus *35*
Cirrus *10*, 11, 34, *34*, 35
Climat **4-5**, *4*
Changement climatique **6-7**, 20
Climat tempéré 4
Climat tropical 4
Sécheresse 20
Cumulo-nimbus 10, *10*, 16, *16*, 35
Cyclones 30, 31

Dépressions 34, 35, *35*

Éclair 16, 17
Éclair en nappe 16, 17
Éclair en zigzag 16, 17
Effet de serre 38, 39, *39*
Éolienne *26*

Froid **22-23**, 24
Fronts 28, **34-35**, *34*
Fronts 34, *34*, 35
Fronts météorologiques 13, 15, **34-35**, *34*

Gel 23, *23*, 24
Givre 23
Glace
Froid 23
Fronts 34
Neige 24
Nuages 10, 11
Orages 16
Pluie 14, *14*, 15
Soleil 19
Grande Sécheresse 21
Grêle 14

Haute pression atmosphérique 27
Humidité Air 13, *13*
Atmosphère 9
Froid 23
Nuages 11

Inondations, cyclone 31

Lignes isobares 32

Mousson Climat 5
Vents *15*

Neige 22, **24-25**, *24*, *25*
Flocons 24, 25
Fronts 24
Neige fondue 14
Pluie 14
Soleil 19
Nuages **10-11**, *10*, *11*
Brume 12
Froid 23
Fronts météorologiques 34, *34*, 35, *35*
Neige 24
Orages 16, *16*, 17
Pluie 14, *14*, 15
Prévoir le temps 33
Tornades 28, *28*, 29

Orages 16
Changement climatique 7, *7*
Ouragans 30, *30*, 31
Réchauffement de la planète 39
Ouragans **30-31**, *30*, *31*

Pluie **14-15**
Pôles
Atmosphère 9
Climat 4
Fronts 34, 35
Neige 25
Soleil 19
Pollution atmosphérique **36-37**, *36*, *37*
Pression atmosphérique
Cartes météo *33*
Fronts 34
Vent 26
Prévoir le temps **32-33**, *32*

Réchauffement de la planète 37, **38-39**

Sable, orages 17
Saisons sèches 20
Satellites, prévoir le temps 33
Sécheresse 20
Sécheresse **20-21**, *20*, *21*
Smog 12
Pollution atmosphérique 37
Soleil **18-19**
Atmosphère 8, 9
Changement climatique 7, *7*
Climat 4
Froid 22
Prévoir le temps 33
Réchauffement de la planète 38, 39
Taches solaires 7, *7*
Vent 26, 27
Stations météo 33
Strato-cumulus 11

Températures
Atmosphère 8, 9
Climat 4
Froid 22
Neige 24
Prévoir le temps 33
Réchauffement de la planète 38, 39
Sécheresse 20
Tornades **28-29**, *28*, *29*
Fronts 35
Tropiques
Changement climatique 7
Neige 24, 25
Pluie 15
Vent 26, *26*
Typhons 30

Vapeur
Brume 12
Froid 23
Nuages 10
Vent **26-27**
Climat 5
Cyclones 31
Front 34, *34*, 35, 35
Nuages 11
Ouragans 30, 31
Pluie 15
Prévoir le temps 33
Vent dominant 27
Verglas 23